O BATALHÃO das LETRAS

CB035633

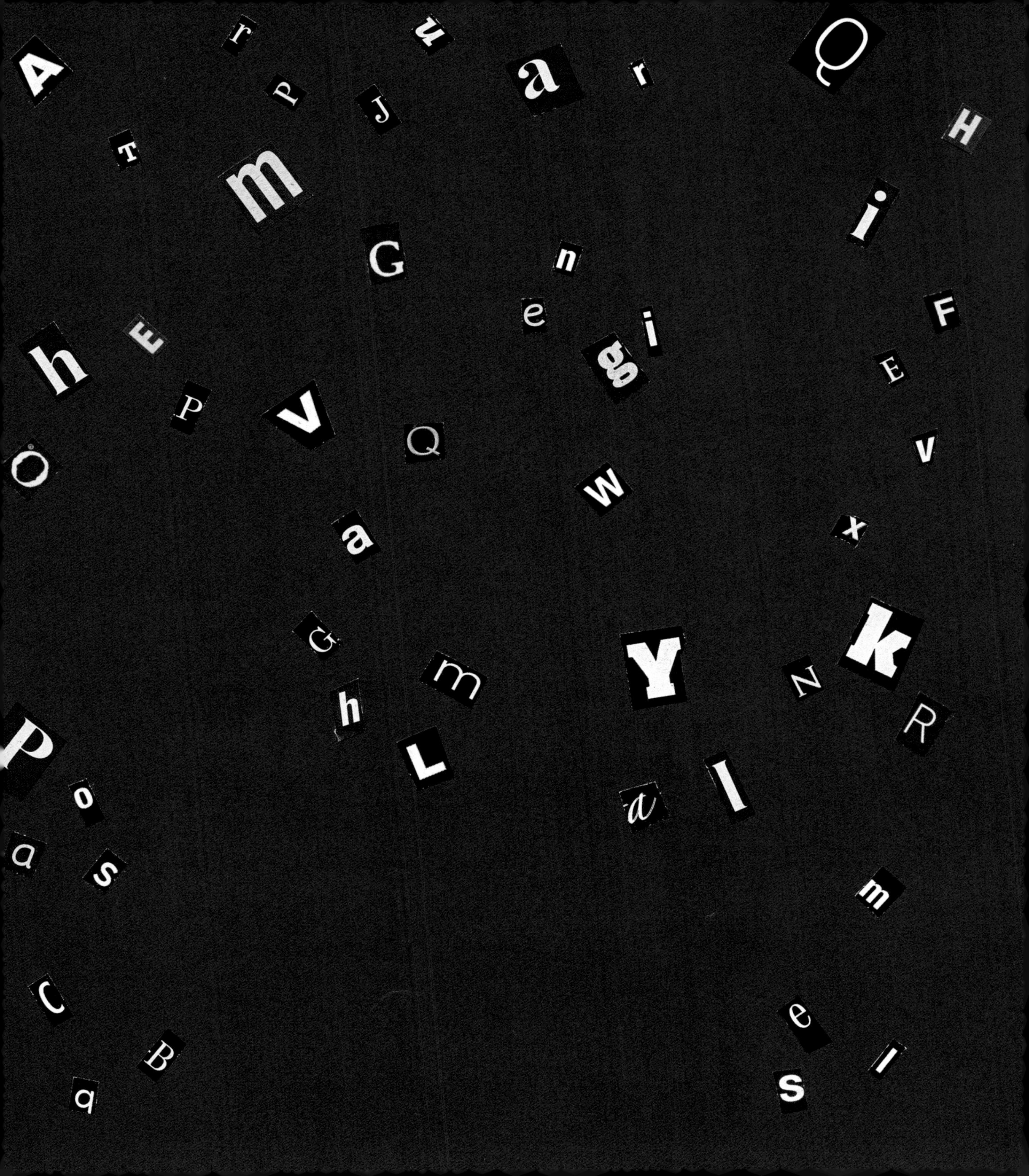

Grafia atualizada segundo Acordo Ortográfico da Língua Portuguesa de 1990, que entrou em vigor no Brasil em 2009.

Ilustração e composição da capa e projeto gráfico
MARILIA PIRILLO

Arte-final de capa
ANDREA VILELA

Revisão
EDUARDO ROSAL
JOANA MILLI
ANDRÉ MARINHO

Dados Internacionais de Catalogação na Publicação (CIP)
(Câmara Brasileira do Livro, SP, Brasil)

Quintana, Mario, 1906-1994.
O batalhão das letras / Mario Quintana; ilustrações de Marilia Pirillo. — 1º ed. — São Paulo: Companhia das Letrinhas, 2016.

ISBN 978-85-7406-760-5

1. Poesia - Literatura infantojuvenil I. Pirillo, Marilia. II. Título

16-0893 CDD-028.5

Índices para catálogo sistemático:
1. Poesia : Literatura infantil 028.5
2. Poesia : Literatura infantojuvenil 028.5

21ª reimpressão

EDITORA SCHWARCZ S.A.
Rua Bandeira Paulista, 702, cj. 32
04532-002 — São Paulo — SP — Brasil
(11) 3707-3500
www.companhiadasletrinhas.com.br
www.blogdaletrinhas.com.br
/companhiadasletrinhas
@companhiadasletrinhas
/CanalLetrinhaZ

Mario Quintana

Ilustrações **Marilia Pirillo**

AQUI VÃO TODAS AS LETRAS,
DESDE O **A** ATÉ O **Z**,
PRA VOCÊ FAZER COM ELAS
O QUE ESPERAM DE VOCÊ...

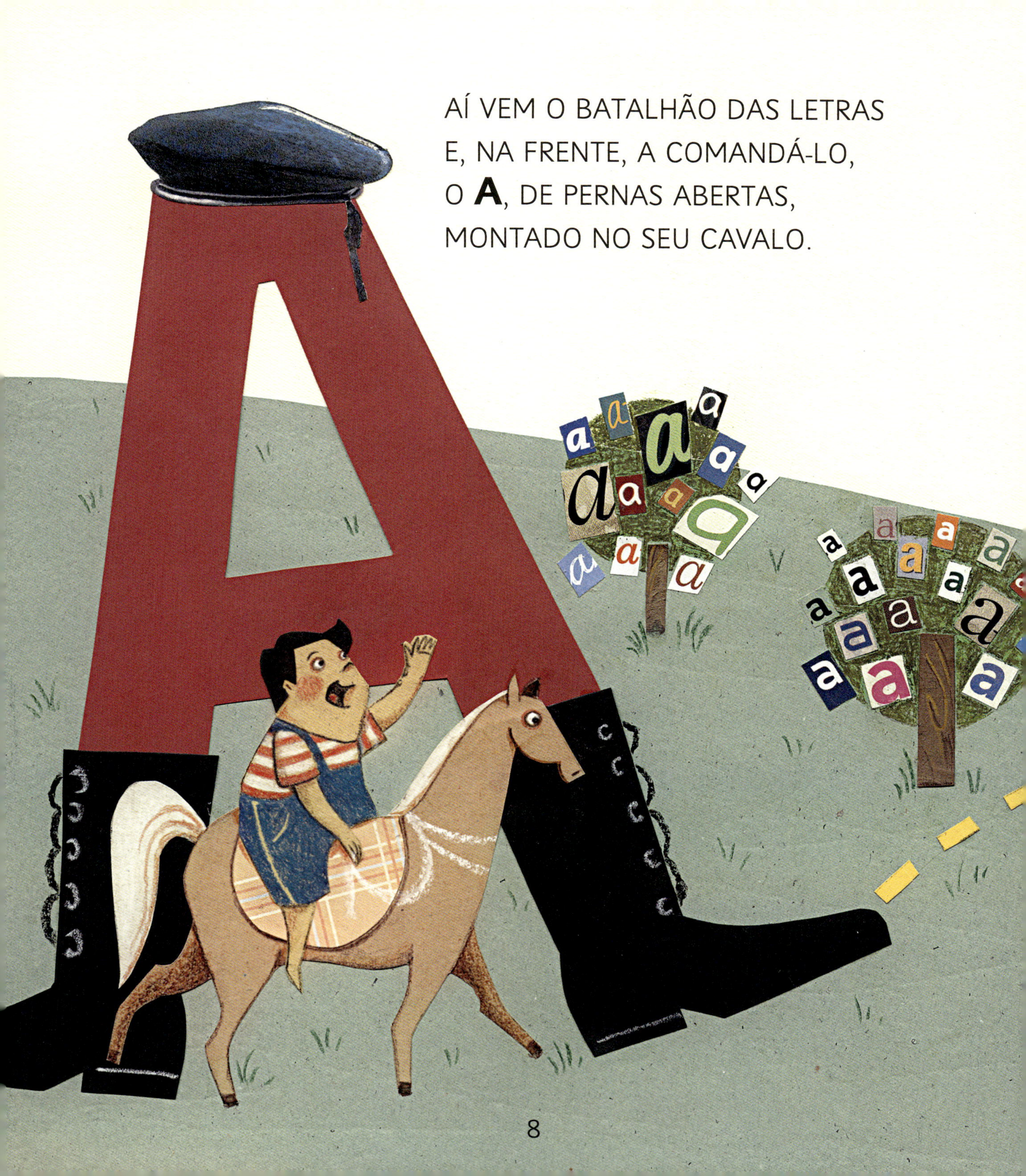

AÍ VEM O BATALHÃO DAS LETRAS
E, NA FRENTE, A COMANDÁ-LO,
O **A**, DE PERNAS ABERTAS,
MONTADO NO SEU CAVALO.

COM UM **B** SE ESCREVE **BALÃO**,
COM UM **B** SE ESCREVE **BEBÊ**,
COM UM **B** OS MENININHOS
JOGAM **BOLA** E **BILBOQUÊ**.

COM **C** SE ESCREVE **CACHORRO**,
CONFIDENTE DAS **CRIANÇAS**
E QUE SABE SEUS AMORES,
SUAS QUEIXAS E ESPERANÇAS...

COM UM **D** SE ESCREVE **DEDO**,
QUE PODERÁ SER MAU OU SÁBIO,
DESDE O DEDO ACUSADOR
AO **D** DO DEDO NO LÁBIO...

O **E** DA NOSSA **ESPERANÇA**
QUE É TAMBÉM O NOSSO **ESCUDO**
É O MESMO **E** DAS **ESCOLAS**
ONDE SE APRENDE DE TUDO.

COM **F** SE ESCREVE **FUGA**,
FRADES, **FLORES** E **FORMIGAS**
E AS CRIANÇAS MALCRIADAS
COM **F** É QUE FAZEM **FIGAS**.

O **G** É LETRA IMPORTANTE,
COMO ASSIM LOGO SE VÊ:
COM UM **G** SE ESCREVE **GLOBO**
E O GLOBO **GIRA** COM **G**.

COM **H** SE ESCREVE **HOJE**
MAS "ONTEM" NÃO TEM **H**...
POIS O QUE IMPORTA NA VIDA
É O DIA QUE VIRÁ!

O **I** É A LETRA DO **ÍNDIO**
QUE ALGUNS JULGAM **ILETRADO**...
MAS O ÍNDIO É MAIS SABIDO
QUE MUITO DOUTOR FORMADO!

COM **J** SE ESCREVE **JULIETA**,
COM **J** SE ESCREVE **JOSÉ**:
UM JOGA NA BORBOLETA,
O OUTRO NO JACARÉ.

O **K** PARECE UMA LETRA
QUE SOZINHA VAI ANDANDO,
LEMBRA ESTRADAS, ANDARILHOS
E PASSARINHOS EM BANDO...

O **L** LEMBRA O DOCE **LAR**,
LEMBRA UM CASAL À **LAREIRA**!
O **L** LEMBRA **LAZER**
DA DOCE VIDA SOLTEIRA...

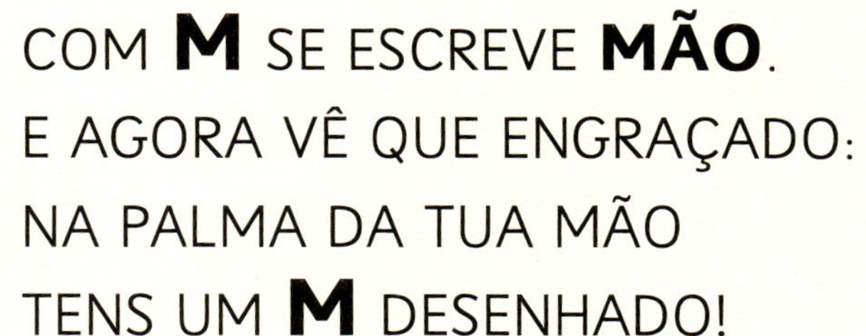
COM **M** SE ESCREVE **MÃO**.
E AGORA VÊ QUE ENGRAÇADO:
NA PALMA DA TUA MÃO
TENS UM **M** DESENHADO!

N É A LETRA DOS TEIMOSOS,
DA GENTE SEM CORAÇÃO:
COM **N** SE ESCREVE — **NUNCA**!
COM **N** SE ESCREVE — **NÃO**!

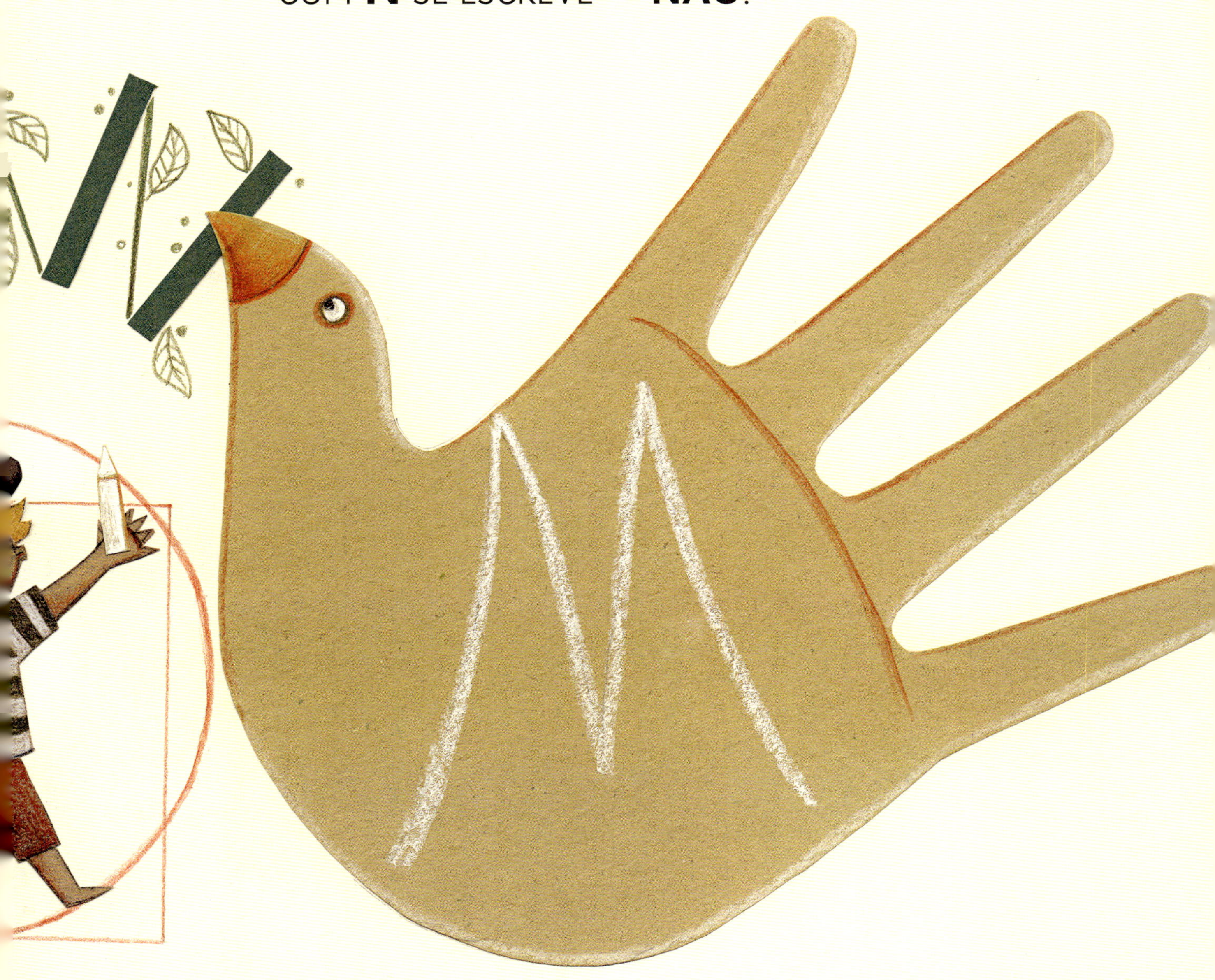

OUTRAS LETRAS DIZEM TUDO.
MAS O **O** NOS DESCONCERTA.
PARECE MEIO ABOBALHADO:
SEMPRE ESTÁ DE BOCA ABERTA...

QUEM DIZ QUE AMA A **POESIA**
E NÃO A SABE FAZER
É APENAS UM **POETA** INÉDITO
QUE SE ESQUECEU DE ESCREVER...

ESSE **Q** DAS **QUEIJADINHAS**,
DOS BONS **QUITUTES** DE **QUIABO**
ERA UM **O** TÃO MENTIROSO
QUE UM DIA CRIOU RABO!

OS **RATOS** MORREM DE **RISO**
AO ROER O QUEIJO DO PRATO.
MAS PARA QUE TANTO RISO?
QUEM RI POR ÚLTIMO É O GATO.

ACHEGUEM-SE COM CUIDADO,
DE OLHO ACESO, MINHA GENTE:
O **S** TEM FORMA DE COBRA,
COM ELE SE ESCREVE **SERPENTE**.

É O **T** DAS **TRANÇAS** COMPRIDAS,
BOAS DA GENTE PUXAR;
JEITO BOM DE NAMORAR
AS MENININHAS QUERIDAS...

O **U** É LETRA DO LUTO!
O **U** DO **URUBU** POUSADO
NAS NEGRAS NOITES SEM LUA
NUM PALANQUE DO BANHADO...

ESTE **V** É O **V** DE **VIAGEM**
E DO **VENTO** VAGABUNDO
QUE SEM PAGAR A PASSAGEM
CORRE TODO O VASTO MUNDO.

ERA UMA VEZ UM **M** POETA
QUE UM DIA, EM BUSCA DE UMA RIMA,
CAIU DE PERNAS PRA CIMA
E VIROU UM BELO DÁBLIU!
COISA ASSIM NUNCA SE VIU,
MAS É A HISTÓRIA VERDADEIRA
DE COMO O DÁBLIU SURGIU...

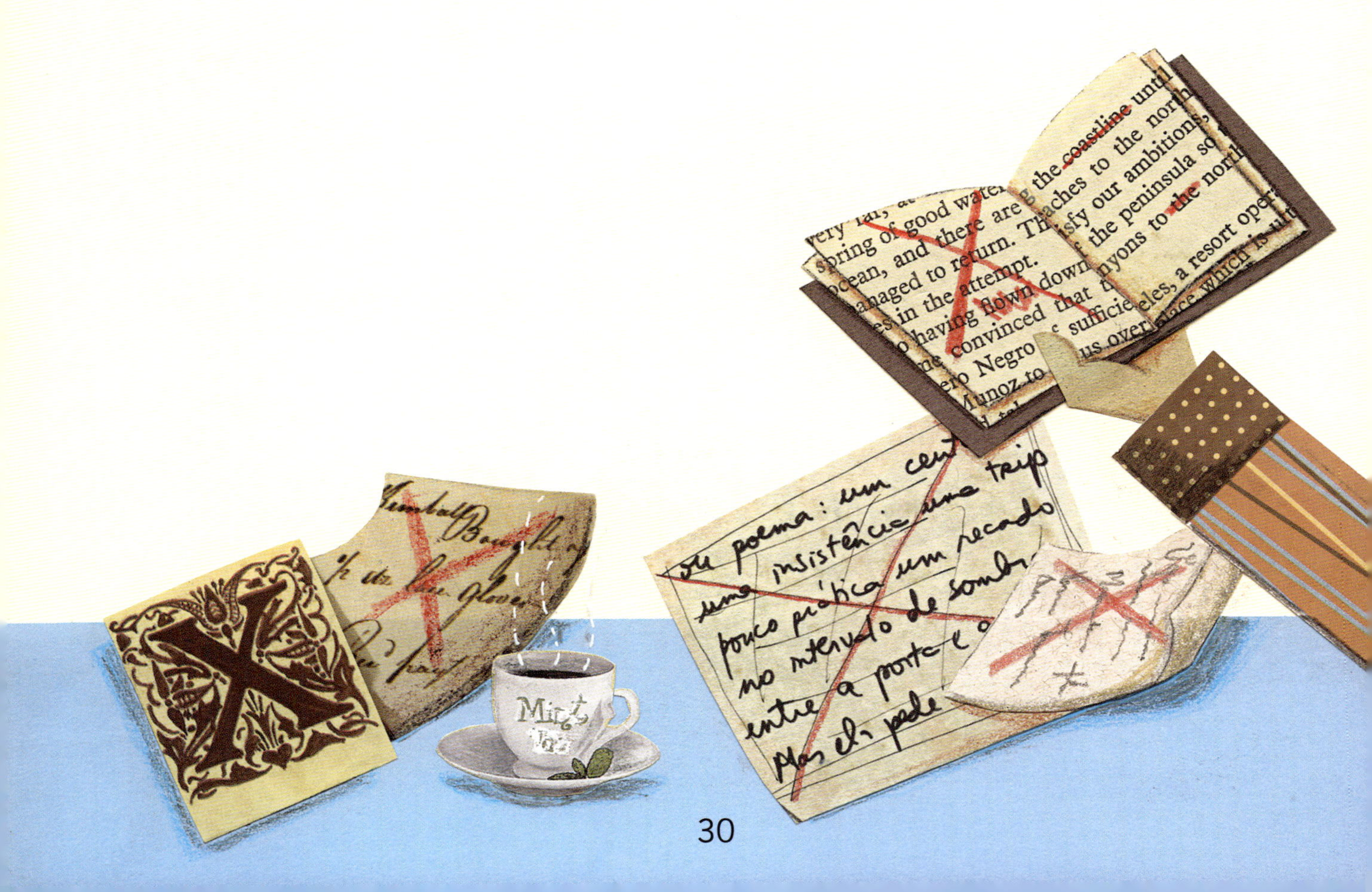

COM UM **X** SE ESCREVE **XÍCARA**,
COM **X** SE ESCREVE **XIXI**.
NÃO FAÇAS XIXI NA XÍCARA...
O QUE IRÃO DIZER DE TI?!

YPSILON — LETRA DOS DIABOS,
QUE ENGASGA O MAIS SABICHÃO!
POR ISSO O POVO E AS CRIANÇAS
A CHAMAM DE "PISSILÃO"...

O **Z** É A LETRA DE **ZEBRA**,
E LETRA DAS MAIS INFAMES.
COM UM **Z** OS MENININHOS
LEVAM **ZERO** NOS EXAMES.

E TODAS AS VINTE E SEIS LETRAS
QUE APRENDESTE NUM SEGUNDO
SÃO VINTE E SEIS ESTRELINHAS
BRILHANDO NO CÉU DO MUNDO!

MÁRIO QUINTANA nasceu em 1906 na cidade de Alegrete. A partir dos anos 1930, vive do jornalismo e de traduções. Seus livros se sucedem: *A rua dos cataventos* (1940), *Canções* (1946), *Sapato florido* (1948), *O aprendiz de feiticeiro* (1950) e *Espelho mágico* (1951), consagrando-o entre os grandes nomes da poesia brasileira. *O batalhão das letras*, sua primeira obra voltada para o público infantil, foi publicada em 1948. Inovador, o livro apresenta o alfabeto enquanto ensina poesia, ora ressaltando as formas gráficas das letras, ora seus fonemas. Em 1980, recebe o prêmio Machado de Assis da Academia Brasileira de Letras. Falece aos 88 anos, em 1994. Sua obra é marcada por um terno lirismo, combinando intuição e reflexão, aliando poesia e crônica, buscando o sublime via prosa do mundo. Poesia universal, para saber de cor.

MARILIA PIRILLO é gaúcha de Porto Alegre e cresceu lendo Mario Quintana. Fã do poeta, sabe, até hoje, a história de *Pé de pilão* (que será relançado pela Companhia das Letrinhas) de cor, verso por verso! Apaixonada, desde a infância, por desenho e pelas ilustrações dos livros de histórias, estudou artes e formou-se em publicidade e propaganda. Em 2004, mudou-se para o Rio de Janeiro e passou a se dedicar com exclusividade à literatura infantojuvenil. Tem hoje mais de cinquenta livros publicados com suas ilustrações e sete como escritora. Em palavras ou em imagens, sua vocação é contar histórias. Para conhecer mais coisas sobre o trabalho da Marilia, você pode visitar sua página na internet: http://www.mariliapirillo.com/

A marca FSC® é a garantia de que a madeira utilizada na fabricação do papel deste livro provém de florestas que foram gerenciadas de maneira ambientalmente correta, socialmente justa e economicamente viável, além de outras fontes de origem controlada.

Esta obra foi composta em Sassoon Sans e impressa em ofsete pela Geográfica sobre papel Couché Design Matte da Suzano S.A. para a Editora Schwarcz em julho de 2024